Rendez-vous
au métro Saint-Paul

DU MÊME AUTEUR

Cyrille Fleischman

*Rendez-vous
au métro Saint-Paul*

le dilettante
7, place de l'Odéon
Paris 6ᵉ

© le dilettante, 1992
ISBN 978-2-905344-56-4

Vision de loin
entre Bastille et République

Certains disaient que la reine d'Angleterre était associée avec M. Tekniski, le marchand d'électroménager à côté du métro. On n'a jamais pu le prouver, mais c'est un fait qu'après le couronnement de la reine, qui était transmis en direct pour la première fois, beaucoup de gens achetèrent une télévision cette année-là.

Parfois les appareils vendus par Tekniski marchaient et d'autres fois pas du tout. Dès qu'on lui avait expliqué le problème, il arrivait et disait :

— D'abord, est-ce que vous avez vérifié que tout est en ordre : est-ce que le tuyau d'arrivée du gaz est en bon état ?

Timidement on faisait remarquer :

— Le poste fonctionne à l'électricité.

— À moi vous allez apprendre comment les choses fonctionnent ? Qu'est-ce que j'ai dit ? Vous parlez tout le temps. Vous avez pas oublié de mettre de l'eau au moins ? Les gens ne mettent pas d'eau dans les machines à laver, et veulent que ça marche. Une machine à laver, c'est pas un désert avec des miracles !

— La machine à laver marche. C'est la télévision qui a un problème.

— J'ai parlé d'autre chose ? disait-il, est-ce que vous avez tapé dessus déjà ?

— Oui, ça on a essayé, et ça ne marche pas.

— Vous avez tapé trop fort ! Les gens qui n'y connaissent rien tapent trop fort. Maintenant, comment vous voulez que je répare ?

On disait encore plus timidement :

— Peut-être que vous pourriez quand même jeter un coup d'œil.

— Un coup d'œil, je peux, mais un sort, pas, si c'est cassé à cause du coup que vous avez donné !

Pendant qu'il parlait, il avait retourné l'énorme poste et commençait à enlever le fond. Il se retournait brusquement :

— Quelqu'un a touché ici. C'est pas le boulon d'origine.

On se tordait de contrition. On disait de plus en plus timidement :

— C'est vous. Quand vous avez réparé la semaine dernière.

Il haussait les épaules :

— Sûrement pas. Mais admettons. Alors, je répare et dès que j'ai le dos tourné vous abîmez. Après, on s'étonne que la science ne progresse pas. Je suis venu quand déjà ?

— C'était la semaine dernière, et depuis ça marchait, on vous jure qu'on n'a touché à rien.

— Vous jurez, et moi je garantis... Voilà la différence. Si moi je jurais et si le monde garantissait, peut-être que je serais moins fatigué. Enfin, c'est pas la peine de s'énerver. Un appareil de chez Tekniski jamais ne tombe en panne.

Il enlevait son veston, demandait une chaise, s'asseyait et regardait le poste à l'envers. Un grand silence se faisait, et tout le monde derrière lui contemplait aussi le poste. Au bout de dix minutes de silence, il remettait sa veste, retournait le poste du bon côté et, sans avoir rien fait, disait :

— Branchez, pour voir.

On rebranchait.

Il disait :

— Il faut que ça chauffe.

On attendait que ça chauffe. Rien ne venait. Il tapait très légèrement sur le poste. Ça ne marchait toujours pas. Il demandait :

— Vous êtes sûr que vous n'avez touché à rien ?

On promettait. Il se grattait la tête et disait d'un ton de reproche :

— Je vais peut-être devoir le montrer à un *fachmann* de chez le fabricant, un spécialiste, si vous continuez à empêcher votre poste de marcher.

On protestait de notre innocence :

— On vous jure qu'on n'a touché à rien. Sauf le bouton pour allumer ou éteindre.

— Vous voyez que vous avez touché.

— On est obligé de l'allumer et de l'éteindre ce poste, monsieur Tekniski. Quand même !

Quand il voyait que c'était de notre côté

qu'on commençait à se fâcher, il changeait de ton. Il reprenait la chaise qui lui avait permis de contempler le poste, se rasseyait accablé, en déboutonnant son bouton de col. Il disait :

— Est-ce que c'est un métier que j'ai choisi ? Un esclavage ! Qu'est-ce que j'avais besoin de rendre service en donnant des télévisions à des gens qui savent à peine se servir d'une T. S. F....

Il s'essuyait le front en poursuivant :

— Qu'est-ce que je vais lui raconter au fabricant ? Que dans toute la France, dans tout le monde, les télévisions marchent, mais qu'au métro Bastille à Paris, comme par hasard, jamais les télévisions marchent.

On se récriait. Il devenait de plus en plus véhément :

— Si ! C'est ça que vous voulez. Vous voulez ma ruine ! Est-ce que par hasard vous seriez pas de la famille à Teknikman, mon concurrent de la place de la République, celui qui vend des télévisions comme on vendrait des pommes de terre, sans rien y connaître, et qui se permet de me critiquer ?

On se récriait et on disait :

— On ne le connaît même pas. Enfin on le connaît un peu parce qu'il va à la même *schoule* que nous, mais on n'aurait jamais pensé vous faire une infidélité, monsieur Tekniski. Tous nos appareils, on les achète chez vous. Vous nous avez même vendu un aspirateur après guerre, vous vous rappelez ?

— Si je me rappelle ? Un aspirateur comme celui que je vous ai donné, vos arrière-petits-enfants, quand on sera depuis longtemps au cimetière de Bagneux, pourront encore s'en servir. C'est un modèle tellement bien que le fabricant ne le fabrique même plus. Ceux qu'il a encore sont dans son coffre-fort. À moi ils me parlent de l'aspirateur !...

— Justement, monsieur Tekniski, c'est pas de l'aspirateur qu'on parle, mais de la nouvelle télévision qui marche pas.

— *Marche pas*, c'est vite dit. Que *vous* savez pas faire marcher.

— Vous non plus. La preuve.

— C'est *moi* qui ai acheté une télévision ? Moi, la télévision ça m'intéresse pas, je préfère lire Sholem Aleichem.

— Ne tournez pas autour de la question : vous allez faire venir un spécialiste ou alors vous reprenez le poste et vous remboursez.

Au moment où les choses tournaient mal et où on s'énervait, il disait :

— Je reviens dans cinq minutes chercher le poste pour le montrer à l'usine.

Pendant qu'il descendait l'escalier, à tout hasard, l'enfant de la maison donnait un coup sur la prise de courant, un autre coup sur le poste et un troisième coup sur le bouton. Au bout de quelques coups et après le temps de chauffage, une image surgissait, d'abord floue, puis nette, et on voyait sur l'écran bombé apparaître une sorte de rabbin qui souriait dans sa barbe et disait :

— Laissez Tekniski tranquille ! Il a une famille, des soucis, des ennuis avec les fabricants, des dettes à la banque. Laissez-le tranquille. On n'est qu'en 1953, la technique n'est pas encore tout à fait au point. Vous voyez, maintenant ça marche très bien. Un bonjour chez vous.

Et l'image disparaissait pendant qu'on entendait en fond sonore une musique yiddish décapante.

Tout de suite après, on avait l'émission

normale, et quand Tekniski revenait avec des chiffons qu'il avait été chercher pour emballer le poste, on n'avait plus qu'à s'excuser en lui offrant un thé et en disant banalement :

— C'est un miracle de la science qui voit vraiment loin, ces télévisions modernes !

L'aventure

Il n'était pas géographe, mais il était arrivé à la certitude quasi scientifique que le centre du monde se trouvait à la verticale du métro Saint-Paul. Peut-être un peu à droite de la rue Saint-Antoine, vers la rue Caron où il habitait. Mais sûrement pas plus loin. Vers la Bastille, c'était un autre monde. Vers le Châtelet, la jungle.

Jean Simpelberg était né rue Caron. Il habitait rue Caron, ses parents avaient habité rue Caron en venant de Russie. À part les années de guerre, il n'était jamais sorti de Paris. Non seulement du quatrième

arrondissement, mais même pas d'une cen-
taine de mètres à gauche ou à droite, au
nord ou au sud de son immeuble situé près
de l'angle de la rue Caron et de la place du
Marché-Sainte-Catherine.

Parfois il disait à sa femme :

— Demain j'irai à la Samaritaine.

Elle le regardait :

— La dernière fois que tu as été au Bazar
de l'Hôtel-de-Ville, tu n'en pouvais plus.
Qu'est-ce que tu veux acheter là-bas ?

Il répondait :

— Des vis, pour réparer le buffet.

— Des vis ? En cette saison ? À l'Hôtel-
de-Ville ?

Effrayé par les sous-entendus, Simpelberg
renonçait à l'idée d'une expédition. Il atten-
drait la fin de la saison des pluies. Il risquait timidement :

— Peut-être qu'on peut envoyer le fils du

concierge. Il peut aller me faire cette course et revenir dans l'après-midi, avec un bon imperméable.

— Tu ne vas pas risquer la santé d'un gosse pour réparer le buffet.

Et Simpelberg se résignait à rester sur son territoire. Il s'autorisait cependant une manœuvre de dépannage dépassant un peu ses frontières. Sans rien dire à sa femme, il allait jusque chez le quincaillier de la rue Saint-Antoine, presque au bout de la rue. Depuis qu'il avait pris sa retraite de contremaître dans un atelier de la rue de Turenne, Simpelberg prenait des risques familiaux.

Il n'était ni riche ni vraiment pauvre. Juste un retraité tranquille pour qui le métro Saint-Paul était la gare d'un petit bourg où il faisait bon vivre au rythme des saisons qui passaient.

Il avait des enfants qui débarquaient d'ailleurs, de ces lointains quatorzième ou quinzième arrondissements, où paraît-il on pouvait aussi vivre. Il en doutait. Il n'en voulait pas à ses fils de s'être exilés, persuadé que c'étaient les brus qui les avaient détournés vers de lointaines régions.

Tous les vendredis soir, la famille était au rendez-vous de la rue Caron pour dîner chez les grands-parents. Il y avait le fils garagiste en banlieue avec sa femme et les deux petits-fils, le fils et la bru médecins tous deux dans le quinzième, la fille encore célibataire mais qui amenait son presque fiancé étudiant, de la Cité universitaire, là-bas dans les brumes près du parc Moutsouris.

Simpelberg demandait des nouvelles du monde extérieur et posait *la* question :

— Quand est-ce que vous vous déciderez à avoir une vie normale et prendre un appartement rue Saint-Antoine, rue de Turenne, dans le quartier ?

La famille Simpelberg de la troisième génération souriait, et chacun disait :

— Mais on est très bien là où on est. On prend la voiture. Ou avec le métro, le bus, on est en vingt minutes chez vous. Ne vous faites pas de soucis.

Il regardait sa femme et disait en les ignorant :

— *Qui* se fait du souci ? Mais habiter *si* loin est-ce que c'est normal ? Rien que pour les enfants : est-ce qu'il y a un jardin où l'air est meilleur que place des Vosges ?

La belle-fille du quinzième intervenait :

— Mais vous savez bien que l'air est pollué avec toutes ces voitures, et puis place des Vosges maintenant il n'y a que des riches et des concierges.

Simpelberg tapait sur la table :

— Place des Vosges, polluée ? J'ai l'air pollué, moi ? J'ai l'air riche, moi ? Toute mon enfance, je l'ai passée à jouer place des Vosges. J'ai été à l'école maternelle, à l'école primaire place des Vosges !

— Ne parlez pas toujours de vous et de votre quartier. Paris est une grande ville. Soyez heureux que nous soyons là chaque semaine. On pourrait habiter la province, l'étranger !

Il regardait sa femme et disait :

— On me raconte n'importe quoi. Sers le bouillon, il va refroidir.

Mme Simpelberg ajoutait :

— Les jeunes veulent vivre leur vie. Loin, très loin. Ils préfèrent se ruiner la santé. Qu'est-ce qu'on peut faire ?

Et elle soupirait en trempant la louche dans la soupière.

Après avoir bu une tisane, quand les enfants et les petits-enfants étaient partis rejoindre leurs lointains domiciles, Simpelberg allait se coucher en méditant sur l'agitation hebdomadaire de cette soirée.

Il entrait dans le lit où sa femme ronflait un peu déjà, éteignait la lampe de chevet, et s'endormait au bout de quelques secondes dans la félicité douillette d'un bon matelas.

Et au ciel, les anges qui surveillaient les hommes étaient attentifs.

Ceux qui s'occupaient des hommes d'action, des héros spectaculaires, des vedettes, regardaient leurs écrans où était écrit : « Hommes routiniers. Ne pas intervenir. »

Ceux qui s'occupaient de tous les Simpelberg de la terre s'activaient autour de
machines où était inscrite la mention :
« Attention ! À protéger : aventuriers. »

Manger

En dépit des promesses des organisateurs, personne n'achetait les ouvrages qu'il était prêt à signer.

Après la conférence, les gens rentraient chez eux en disant « Je me lève tôt demain » ou « Mon frère a déjà votre livre, il me le prêtera », ou quelque chose dans le genre.

Preverman restait seul derrière la planche sur laquelle la secrétaire de l'association avait disposé une pile d'exemplaires de la revue de poésie yiddish qu'il animait.

Il ne vendait jamais rien, sauf une fois,

quand quelqu'un s'était approché et avait demandé s'il pouvait acheter la revue. Il avait été si surpris, si heureux, qu'il avait donné gratuitement le numéro et versé de sa poche le prix au trésorier de l'association. En sortant de la salle, il avait trouvé le journal par terre sur le trottoir. Il s'était penché, l'avait ramassé, furieux, et s'était aperçu qu'on en avait arraché trois ou quatre pages. Celui qui avait fait ça était en train de s'en servir pour essuyer les vitres de sa voiture couvertes de neige. L'autre avait eu la *houtspa* de le saluer d'un coup de chapeau en le reconnaissant et de lui lancer :

— Voyez, aujourd'hui votre journal est vraiment utile !

Depuis ce soir-là, lorsqu'il y avait une causerie, il disposait sur un tréteau, pour la fin de la conférence, un assortiment de disques yiddish et de sandwichs au *pickelfleisch*.

Les organisateurs des différentes associations qui le contactaient étaient surpris par la vente de la nourriture. Les disques, à la rigueur, ils comprenaient, mais pas les sandwichs ! Ils avaient tort, car la musique ne se vendait pas plus que ses ouvrages. En revanche, les tartines au *pickel* partaient bien. Et c'était tout naturellement qu'il avait pris l'habitude de s'installer, parfaitement à l'aise, dès vingt-deux heures trente, après la conférence, derrière son tréteau. Les gens venaient vers lui. On prenait un sandwich et on discutait.

Bientôt, il abandonna tout à fait les disques avec ses poèmes mis en musique et interprétés par une chanteuse. Il n'en vendait qu'un de temps en temps. En revanche, il pouvait arriver avec une trentaine de tartines au *pickel*, tout était pris.

Bien sûr, les associations, les amicales, considéraient que ce n'était pas convenable. Mais comme son cachet d'orateur n'était pas très élevé, les choses passaient. La cuisine yiddish pouvait aussi être un aperçu culturel. Restait qu'il ne pratiquait pas la cuisine, mais vendait de simples et bêtes sandwichs au *pickel*.

En mai (il avait commencé en décembre), Preverman annonça à une dame qui venait le solliciter pour une conférence que, dorénavant, il ne parlerait plus, mais qu'il viendrait bien volontiers à la soirée « seulement pour les sandwichs ». Elle prit tout ça en riant, sans y croire. Mais quinze jours après, effectivement, il ne prononça que quelques mots :

— Chers amis, commença-t-il, un grand

merci d'être venus à tous. J'ai préparé quelque chose de spécial...

Les gens approuvèrent.

Il poursuivit :

— Aujourd'hui, j'ai le plaisir, l'avantage et la chance de présenter à toute l'assistance une merveille : un sandwich non seulement au *pickelfleisch* presque chaud, non seulement avec deux morceaux de cornichon, mais en plus avec du *khaïn*, du raifort, que le grand poète Tchernikovski lui-même aurait apprécié ! Mesdames et messieurs, reprit-il solennel, il est temps maintenant de passer à côté. Je servirai moi-même.

Il sortit une grande valise de sous l'estrade et se dirigea, sous des applaudissements timides, vers le vestibule pour aller étaler des sandwichs sur une table.

Les gens se regardèrent et certains se levèrent.

Puisqu'un grand orateur, un poète, disait que c'était quelque chose de spécial, il n'y avait qu'à le croire. Bientôt, les trente personnes de la salle passèrent à sa suite dans le hall où Preverman d'une main rendait la monnaie pour les tartines et de l'autre tendait un sandwich emballé dans du papier sulfurisé.

Il fit une bonne recette ce soir-là, et les gens, après avoir mangé, lui posèrent quelques questions qui firent que la fête se prolongea.

On le considéra décidément comme le meilleur poète de sa génération et tout le monde fut content.

Chaque semaine maintenant, il organisait une soirée.

Wurstag, le charcutier qui le fournissait, ne se plaignait pas. Au contraire. Il avait demandé à Preverman ce qui se passait.

L'autre lui avait expliqué et avait proposé de l'emmener un soir. Wurstag avait refusé en s'essuyant les mains sur son tablier. Mais, un dimanche de juin, il avait annoncé qu'il irait bien *après tout*.

Preverman commença son discours habituel. Il allait inviter à passer à côté déguster un sandwich, quand Wurstag leva la main. Preverman hocha la tête :

— Ce soir, nous avons dans la salle notre ami Wurstag.

Quelques-uns applaudirent.

— Excusez-moi, commença le charcutier, j'ai pas l'habitude de parler en public, mais je voulais dire que c'est un grand plaisir d'aider un grand poète comme M. Preverman...

Les gens applaudirent plus franchement.

Wurstag continua :

— ... Un grand honneur, c'est. Vraiment. Être avec le génie qui a écrit :

Un homme, c'est un homme,
Un poète, c'est un poète...

Il commença alors à réciter en yiddish le célèbre poème de Preverman.

Ça dura dix minutes, c'était beau, et les gens applaudirent.

Wurstag regarda Preverman qui fronçait les sourcils sur la tribune. Croyant lui faire plaisir, il entama un autre grand poème qui avait été mis en musique, mais qu'il récita vaillamment.

Ce fut un honnête succès. Des applaudissements crépitèrent puis s'arrêtèrent.

Wurstag se sentit encouragé à poursuivre. Désespérément sur l'estrade, Preverman lui fit signe de se rasseoir. Le charcutier ne comprit pas et embraya sur un hymne composé en 1950 par le poète.

Avec sa valise de sandwichs sous la tribune, Preverman s'énervait. Le charcutier massacrait les mots... N'en pouvant plus, il se leva et, parlant en même temps que Wurstag, s'efforça de déclamer son texte avec le ton et l'accent qu'il fallait. La salle en entendant ce duo se pâma. Quand ils terminèrent tous deux, ensemble cette fois, ce fut du délire. Les gens se levèrent et battirent des mains. Preverman s'essuya le front avec son mouchoir. Pas insensible aux applaudissements, il salua modestement :

— Chers amis, encouragé par votre accueil chaleureux...

Il hésita, les applaudissements avaient un peu faibli mais reprirent aussitôt après. Il fit un geste pour apaiser la salle et poursuivit :

— À la demande générale, je vais...

Il jeta un œil à ses pieds et vit sa valise.

— Je vais vous montrer...

Preverman se demanda ce qu'il pourrait faire de neuf, les sandwichs avaient eu leur temps.

Il lança à tout hasard :

— En attendant : cinq minutes d'entracte ! M. Wurstag, le charcutier de la rue du Roi-de-Sicile que vous avez applaudi, va passer avec ses sandwichs.

Il fit signe à Wurstag, qui vint le rejoindre, et lui tendit la valise.

L'autre la prit, l'ouvrit et se mit à distribuer.

Quand le charcutier eut vendu le dernier sandwich de la valise, il fit un geste, de loin, pour montrer qu'elle était vide et qu'on pouvait continuer.

Alors, Preverman se leva. Il monta sur sa chaise et se mit à rétrécir. Il devint petit, petit, petit, petit... Puis il sauta sur le tapis vert qui recouvrait la tribune, se planta sur un morceau de papier qui traînait, et la feuille se replia pour l'entourer comme s'il était une tranche de pain au *pickelfleisch*.

Le public ne saisit même pas ce qui se passait.

Wurstag, lui, crut comprendre un peu. Il revint du fond de la salle récupérer ce dernier sandwich oublié. Sans bien regarder, il en ôta le papier, et machinalement se mit à le manger en attendant que le conférencier réapparaisse.

Preverman ne lui en voulut pas. Il n'avait désormais plus rien à inventer pour gagner sa vie de poète.

Vanité

Le seul vrai souvenir que Simon Kéversak avait laissé à ses amis et relations avait été le rhume qu'ils avaient presque tous attrapé au cimetière de Bagneux.

Pour la pose de la pierre tombale, environ un an après l'enterrement selon la tradition, il n'y avait donc pas foule. Certes, ils étaient nombreux ceux qui avaient été prévenus par le secrétaire de l'association dont Kéversak avait fait partie, ou par le journal yiddish. Mais peu avaient fait le déplacement.

Simon Kéversak, qui n'avait ni femme ni enfant, avait, de son vivant, acheté une concession et réglé tous les détails. Même l'inscription sur la pierre était de lui. Comme il avait, par testament, légué ses biens à l'association, le président, le trésorier, le secrétaire et quelqu'un qui venait pour une autre cérémonie, mais qui était en avance, étaient là. Plus un ancien vendeur à lui qui avait raté l'enterrement et qui était venu pour la pose de la pierre par remords.

Chacun se demandait à quoi ressemblerait ce qui ne serait même pas une cérémonie : il n'y avait pas dix personnes pour qu'on puisse dire le *Kaddish*, il faisait encore plus froid que l'année précédente, l'inscription sur la pierre tombale était recouverte de neige et le président qui devait prononcer un discours avait oublié le papier sur lequel il avait pris quelques notes... Les cinq hommes à côté du représentant de la maison des pompes funèbres battaient la semelle.

— Alors, on commence ? avait demandé le secrétaire.

— On commence *quoi* ? avait répondu le président. Je propose qu'on aille prendre un café en face de l'entrée principale pour se réchauffer. On est venu. On a vu. On a rendu honneur à ce pauvre Simon. C'est *déjà* bien avec un temps pareil.

Les autres approuvèrent, sauf l'employé des pompes funèbres qui ne voulait pas prendre partie, mais qui aurait aimé qu'on dise un mot gentil sur la qualité du marbre et de l'inscription. De sa main gantée, sans avoir l'air de rien, il enleva la fine couche de neige. Les lettres dorées sur le fond noir étaient effectivement bien calligraphiées. Le président y jeta distraitement un coup d'œil.

Il allait rejoindre les quatre hommes qui déjà quittaient la division, quand il s'arrêta et fit demi-tour pour voir s'il ne s'était pas trompé. Sidéré, il appela ceux qui partaient. Le secrétaire revint sur ses pas, bientôt suivi par les trois autres. Tous regardèrent l'inscription sur le marbre que le président désignait d'un doigt. Le secrétaire lut à haute voix : « Simon Kéversak, 1918-1978, président d'honneur de l'Association des petits boutiquiers spécialistes originaires de Cracovie ayant habité Montreuil avant la guerre. »

Le nom, le prénom, les dates, l'appellation de l'association, tout était effectivement exact, sauf que Kéversak n'avait jamais été président, et encore moins président d'honneur. Il n'avait même pas réussi à se faire élire trésorier de son vivant. Le secrétaire se tourna vers le représentant des pompes funèbres.

— Vous êtes sûr que vous vous êtes pas trompé sur la pierre ?

— Plaît-il ? Le marbrier a fait une erreur sur les dates ?

— Pas pour les dates, intervint le président. Pour la suite. Il a jamais été président chez nous.

L'employé regarda l'inscription, sortit un papier de ses poches et compara.

— Tout est en ordre. Le notaire nous a écrit pour cette inscription.

— Quel notaire ? On a besoin d'un notaire pour mettre un nom sur une pierre ? s'énerva le président.

L'employé était embarrassé. Les autres encore plus.

À qui se plaindre ? Toute la famille était morte. Restait le notaire, mais est-ce qu'on allait déranger un notaire en plein hiver pour une fantaisie d'un mort imbécile ?

Le président prit l'employé par le bras et l'entraîna.

Les autres suivirent et se retrouvèrent dans la grande allée couverte de neige.

L'ancien vendeur, qui n'avait rien dit jusque-là, rattrapa le président et l'employé des pompes funèbres.

— Excusez-moi, mais j'ai entendu tout à l'heure, lança-t-il. Moi, j'ai été vendeur chez M. Simon quand il avait son magasin. Il parlait toujours de votre société et il était très fier d'être *quelqu'un* chez vous.

Le président lâcha l'employé des pompes funèbres, qui de toute façon ne comprenait rien au problème, et se retourna vers le petit homme roux qui se mêlait de ce qui ne le regardait pas.

— Il n'était pas quelqu'un ! Il n'était rien du tout, sauf membre actif avec cotisation en retard de trois ans !

Le vendeur fit front :

— Oui, mais il vous a laissé toute sa fortune !

Les autres les voyant s'arrêter pour discuter dans la neige les rejoignirent. Le trésorier avait juste entendu la dernière phrase :

— Sa fortune, sa fortune... Il faut pas exagérer ! soupira-t-il. Quand toutes ses dettes ont été réglées, il serait juste resté de quoi acheter un sac en crocodile à sa femme s'il avait eu une femme. Voilà ce qu'il y avait dans son testament !

Le vendeur se rebiffa.

— Ma femme à moi, elle a pas de sac en croco. Et M. Simon m'avait toujours dit, comme il n'avait pas de famille, qu'il me léguerait quelque chose. Trente ans j'ai travaillé avec lui. Il m'a rien laissé.

Le président, qui avait froid, s'énerva :

— On est ici pour discuter du sac de votre femme ?

Ils se remirent à marcher, cette fois d'un pas ferme, vers la sortie du cimetière. Ils passèrent au long du petit trottoir à côté de la barrière de droite et se retrouvèrent devant l'entrée principale. Face au café. Là où il était d'usage de prendre un verre en sortant pour se prouver qu'on n'était pas à Bagneux à titre définitif. Le président traversa le premier. Les autres à la suite entrèrent dans la salle bien chauffée. Ils s'affalèrent à une table.

Pendant qu'on prenait la commande — un café au lait pour chacun, plus un croissant pour le président —, le petit vendeur essayait de convaincre l'employé des pompes funèbres que son ancien patron n'avait pas été juste avec lui. De l'autre côté de la table, le trésorier, le secrétaire et le sociétaire qu'on n'attendait pas — celui qui était venu pour une autre cérémonie et qui était encore en avance — énonçaient des vérités où il était question de vie, de mort, de froid, de vacances, enfin de tout ce qu'on peut dire quand on est attablé au café face au cimetière de Bagneux un hiver.

Seul le président ne parlait pas. Cette histoire d'inscription l'agaçait.

— Et si on le nommait quand même ? lança-t-il soudain.

— Qu'est-ce que vous dites ? demanda le secrétaire.

— Je me pose la question : est-ce qu'il ne faudrait pas nommer Simon Kéversak président d'honneur ?

— Mais il est mort, souligna le trésorier.

Le président haussa les épaules :

— Non, il est vivant et il préfère être

dans un caveau pour pas être mouillé par la neige... Bien sûr qu'il est mort !

— Vous fâchez pas ! intervint le secrétaire. Qu'est-ce que vous voulez dire exactement ?

— Je disais, reprit le président, qu'il faudrait le nommer président d'honneur. Comme ça il n'y aurait pas de mensonge sur sa pierre. Et qu'est-ce que ça peut nous faire, après tout ? On n'a jamais eu de président d'honneur. On n'a qu'à commencer par lui.

Le quatrième, celui qui était venu pour un enterrement pour lequel il était en avance, se leva alors :

— Excusez-moi, c'est l'heure du rendez-vous pour mon cousin. Je vois déjà toute la famille en face. S'il n'y a pas de retard à cause de la neige, le convoi va pas tarder.

Au revoir. Et qu'on se retrouve pour des choses plus heureuses !...

Il mit une pièce sur la table pour régler sa consommation et allait partir quand il se ravisa :

— Dites, ça m'a fait plaisir de pouvoir être là avec vous pour la cérémonie, tout à l'heure. C'est une chance que j'avais deux choses à faire à Bagneux le même jour ! Mais, en réfléchissant un peu, je pense que c'est pas juste que vous nommiez Kéversak président d'honneur. Enfin, vous faites ce que vous voulez.

Et il partit.

L'employé des pompes funèbres à son tour se leva pour aller boire un ballon de rouge au comptoir, il ne supportait pas le café crème. Les autres restèrent seuls à la table et le président reprit sa réflexion :

— D'un côté, c'est vrai que c'est pas juste

de nommer Simon président d'honneur ;
d'un autre côté, ce serait quand même
mieux pour l'inscription ; d'un troisième
côté...

Le secrétaire l'interrompit :

— Excusez-moi : si on le nommait seulement trésorier d'honneur ? Il n'y a qu'un
mot à rayer. On peut demander au
marbrier.

— Vous êtes fou ou quoi ? étouffa le trésorier. Trésorier d'honneur, un type qui s'est
présenté dix fois contre moi et qu'on n'a
jamais élu parce que tout le monde savait
que c'était un fantaisiste ! Si vous faites ça,
je donne tout de suite ma démission. Pourquoi pas secrétaire d'honneur alors ?

Le secrétaire regarda au plafond comme
si l'autre avait dit une énormité.

L'ancien vendeur de Kéversak revint à la
charge :

48

— Écoutez : vous n'êtes pas juste dans votre société ! Si moi, j'avais reçu quelque chose par testament, M. Simon serait devenu mon patron d'honneur avec plaisir. Chef patron d'honneur même, si ça peut faire plaisir à un mort !

Le président n'écoutait pas. Il se leva.

— Il faut que je revoie la pierre !

— On va avec vous, dirent en même temps le secrétaire et le trésorier.

Le président posa un billet sur la table pour régler les consommations et ils sortirent. La neige recommençait à tomber.

Ils regardèrent le convoi qui se formait dans l'allée principale. Sans doute l'enterrement pour lequel l'autre membre de l'association était venu.

Tous les trois, suivis à un mètre par le petit vendeur roux qui ne voulait pas les lâcher, tournèrent à gauche et se dirigèrent

vers la division où Kéversak était enterré.
L'employé des pompes funèbres était resté
au comptoir du café, et ils n'étaient que quatre à marquer leurs pas dans la neige fraîche. Quand ils se retrouvèrent devant la
tombe de Simon Kéversak, du blanc avait
de nouveau recouvert l'inscription. Le président avec la manche de son pardessus
essuya le marbre neuf. Il hésita :

— Lui, il est là pour toujours, nous on
va rentrer tout à l'heure à la maison. C'est
triste quand même la mort...

Le trésorier tapa dans ses mains. Il avait
froid. Le vent projetait de la neige sur les
visages, sous les chapeaux.

Il demanda inquiet :

— Vous allez pas faire le discours maintenant... ? On va tous attraper froid pour
rien, sans vous offenser. Je dis ça pour
vous : regardez ce qui tombe ! Vous avez

déjà de la neige sur tout votre chapeau.

Effectivement des flocons restaient accrochés au pardessus et au feutre marron du président.

— Il n'a pas eu de chance, ce pauvre Simon... Il faudrait faire quelque chose..., dit encore le président.

Il se parlait plus à lui-même qu'aux autres, mais la neige tourbillonnait serrée. Le secrétaire le tira par la manche.

— On s'en va maintenant.

Ils quittèrent la division, les uns derrière les autres. Quand ils furent dans l'allée, le président s'arrêta net.

— J'ai *décidé* : Simon Kéversak *sera* président d'honneur. *Sur* l'inscription. Seulement là. Comme ça, tout est en règle.

Les autres, contents de s'en aller, ne dirent plus rien. Ils accélérèrent le pas très fermement vers la porte principale du cimetière. La cérémonie était définitivement terminée. Ils eurent le sentiment d'avoir été plus consciencieux qu'ils ne l'auraient pensé.

Simon Kéversak aurait été content, conclurent-ils en se séparant.

Mais là où il était, cela ne lui fit ni chaud ni froid.

Métamorphose

Peut-être était-ce l'âge, peut-être était-ce vraiment sa volonté, Léopold Guilgoulski voulait devenir chien de luxe. L'idée lui en était venue quand une de ses brus avait acheté un toutou en juin.

Il s'était dit :

— Pourquoi pas moi ? Un bel appartement à Paris, une villa avec jardin pour les vacances, des enfants qui s'occuperaient de moi, qui me diraient : « Léopold, viens ici. Donne la papatte, Léopold. Tiens, un cadeau, Léopold !... »

À lui aussi on faisait des cadeaux. Mais

quels cadeaux, toujours des livres ! Qu'est-ce qu'il en avait à faire ! Moins ses enfants s'intéressaient à sa vie quotidienne, plus ils achetaient de livres sur le judaïsme. Il s'était donc mis doucement à souhaiter, sans vraiment insister, devenir chien de luxe. Il disparut quelques jours aux alentours du 14 juillet, quand Paris était un désert familial, et revint vers le 18 sous la forme d'un dogue affectueux.

Il aurait préféré être un petit caniche mais on ne choisit pas et, à soixante-douze ans, il devint un gros chien.

Il surgit chez son fils aîné. Avant que son père ne devienne un chien, il le voyait une fois par trimestre. Plus un repas pour la Pâque et un autre le jour de Yom Kippour pour la rupture du jeûne, quand il n'y avait pas un bon programme ce soir-là à la télé-vision. Il put rester enfin tout le temps qu'il voulait, maintenant qu'il était un animal familier.

Guilgoulski, qu'on appela chez le fils industriel d'un nom qu'il ne comprit pas tout de suite, était rêveur. Pendant les premiers jours, il ne réussit pas à se mettre en tête le nom que son imbécile de fils, avec son imbécile de femme et ses enfants idiots mais gentils, lui avaient donné en le trouvant devant leur porte.

D'après Guilgoulski, ce devait être quelque chose comme Chmoby, Moby, Bobby. Sûrement Bobby à la réflexion. On l'aurait appelé Napoléon ou Elizabeth Taylor, il serait venu aussi. La nourriture était bonne, l'eau fraîche, les enfants un peu demeurés pour leur âge, mais il n'allait pas critiquer sa propre famille.

Il y avait un chat dans la maison du fils. La nouveauté passée, toute la famille continua à caresser ce chat qui ne se laissait faire que quand il le voulait bien. C'était sans doute cette indépendance hypocrite qui plaisait.

Bobby était aimable car il restait beaucoup du grand-père en lui. Le chat était étranger à la famille, or les enfants et la bru adoraient cette boule de poils d'escroc.

En quelques jours, Bobby changea d'humeur. Après avoir mangé vers sept heures du soir sa viande mélangée avec du riz, il s'ennuyait ferme. Sur un fauteuil du salon, pendant que les enfants regardaient des émissions à la télévision qui ne l'intéressaient pas, Guilgoulski se prit à envier le chat. Lui avait une vie d'indépendance totale, et la famille de son fils l'adorait. À l'heure des émissions enfantines, le chat disparaissait pour ne revenir que vers dix heures quand les programmes étaient meilleurs à la télé.

Léopold souhaita donc être chat de luxe dans la banlieue résidentielle.

Il le devint chez sa fille habitant près de Vaucresson. Le jour même où le fils industriel perdait son chien au cours d'une promenade au bois, la fille trouvait un chat égaré dans le jardin d'une propriété à deux mètres du garage où elle manœuvrait pour entrer. Elle aimait les chats et donna un peu de lait à Léopold qui devint, sur le carrelage de la cuisine, quelque chose comme Chmami, Chmimi, Mimi. Sûrement Mimil à la réflexion ! Enfin, un nom difficile à comprendre ! Léopold fut heureux deux ou trois jours. On l'avait trouvé un vendredi, et il passa le week-end avec sa fille et son gendre, ce qui ne lui était jamais arrivé. Mais le lundi, tout le monde partit et Mimil se trouva seul dans la villa avec la bonne des Philippines et le gardien, qui ne parlait pas. La bonne était gentille mais ne s'intéressait pas au chat, et le gardien était muet. Quand il rencontrait Léopold sur son passage, il se contentait de lui donner un coup de pied sans dire un mot. Un vrai cosaque en pleine zone résidentielle.

Il n'était pas heureux en chat non plus.

Il se résigna à devenir grain de poussière provisoirement, car il ne pouvait sans perdre la face, ou donner des explications que personne ne comprendrait, revenir chez lui faire le vieux. Léopold Guilgoulski résolut donc, en attendant une idée qui arrangerait tout, de se réfugier au calme dans le living-room d'un cousin. Sur une étagère d'un meuble danois fait dans le Jura, il rejoignit une pile de disques, quelques bibelots, six ou sept livres de poche et l'édition complète, absolument neuve, du *Grand Larousse* en beaucoup de volumes.

Il entra sans même y réfléchir dans un exemplaire rouge du livre de poche où il y avait écrit en jaune : *La Métamorphose*, Franz Kafka.

Guilgoulski avait connu un Kafka qui habitait dans le onzième arrondissement. Ce n'était pas lui. L'autre avait une famille qui ne l'aurait pas laissé habiter comme un malheureux sur une étagère du living-room.

Par curiosité, Léopold Guilgoulski jeta un œil dans les pages du livre de poche en commençant par la fin. C'était de petites histoires pour amuser, jugea-t-il.

Il termina par le premier texte du recueil qui s'appelait effectivement *La Métamorphose*. Il le lut soigneusement, bien que ce fût difficile en français et qu'il eût préféré un texte en yiddish. Guilgoulski alors conclut que c'était pas mal écrit, mais comme toujours — et il se référait à sa propre existence — que la réalité c'était encore autrement !

La bouillotte de la vie

— Et pour vous, ce sera ?

On n'osait pas répondre :

— Une boîte de cachets d'aspirine.

On avait la nostalgie de maux dostoïevs-
kiens, de scènes tragiques où l'on se roule
par terre la bave au menton, pendant que
la famille éplorée s'arrache les cheveux et
que l'on court à la pharmacie rechercher le
remède miracle. Cela, il l'aurait compris.
Mais on ne pouvait pas toujours lui faire
plaisir. Quand c'était trop banal, il donnait
le médicament en soupirant, et soufflait
à peine audible : « Voilà » ; puis, dans

un espoir nouveau : « À qui le tour ? »

Solotov avait gardé de son enfance un goût du tragique que l'alliance d'une mère star de *yiddisher teater* et d'un père baryton *goï* et immigré pouvait expliquer. Et maintenant à quarante ans, avec tous ces atouts, il était pharmacien de quartier.

Derrière son comptoir, avec son mètre quatre-vingt-dix penché sur la misère du monde, prêt à éviter les catastrophes déclenchées par des médecins incompétents, il répétait *Hamlet* en yiddish pour la troupe dont il rêvait.

Il avait adapté lui-même en supprimant ce qui était superflu, et répétait en attendant de trouver des génies qui l'aideraient à faire vivre un vrai théâtre.

Quand parfois on lui tendait une ordonnance, il mettait ses lunettes, rejetait une mèche rebelle en arrière et fronçait les sourcils :

— Qui vous a donné un poison pareil ? Vous voulez vivre ou mourir ? Être ou ne pas être ? Allez voir demain le docteur Ydnovski de ma part et déchirez tout de suite l'ordonnance de l'autre traître. À qui le tour ?

Timidement les gens écoutaient. Solotov se ruinait. Tous les médecins du quartier étaient ses ennemis. Seul Ydnovski le comprenait.

Il attendait le moment où il serait obligé de déposer le bilan, pour se consacrer au théâtre, ailleurs que dans son officine. Ils en parlaient avec le vieil Ydnovski qui, au retour de ses visites, passait prendre un thé au fond de l'officine vers la réserve aux médicaments. À la vérité, le docteur Ydnovski n'avait lui-même plus de clients, et les visites, c'était surtout pour prendre l'air.

La passion du docteur Ydnovski, ce n'était pas le théâtre, mais la Bible. Il avait élaboré un système de décryptage, et depuis longtemps ne consacrait plus son temps qu'à l'étude et à l'écriture de multiples articles qui finissaient sous l'apaisante poussière de sociétés savantes.

C'est dire qu'à part les patients que lui adressait Solotov mais qui ne revenaient jamais deux fois, le docteur Ydnovski avait du temps de libre.

Solotov, le pharmacien, et lui étaient des gens de passion : ils s'entendaient parfaitement en se parlant chacun à soi-même. Écouter l'autre, c'était déjà abandonner sa propre cause, or le docteur Ydnovski, qui avait trouvé le sens caché de plusieurs des livres sacrés, n'avait pas de temps à perdre avec le théâtre. Et Solotov, juif à cent pour cent par sa mère bien qu'ayant un père baryton *goï*, ne s'intéressait plus à la Bible depuis sa *bar-mitzvah* qu'il avait faite encore en Russie, entre deux tournées triomphales de ses parents. C'était ce que sa mère racontait — lui ne se souvenant plus très bien — quand il allait lui rendre visite à l'hospice de banlieue où elle empoisonnait les autres pensionnaires en se levant à trois heures du matin pour déclamer en yiddish, en polonais et en russe la Déclaration des droits de l'homme mise en musique par feu son mari, qui était aussi compositeur.

Ydnovski, en levant son verre de thé dans la réserve aux médicaments, disait à Solotov qui n'écoutait pas :

— Demain, je termine ma traduction chiffrée du chapitre vingt-quatre et j'inscris les chiffres sur un tableau, et je vous dirai quel temps il fera vendredi, vous verrez, vous serez intéressé.

Et Solotov se versait un autre thé en répondant :

— Je ne sais jamais, quand Shakespeare fait dire à ses personnages « *Ha !* », s'il faut traduire en yiddish par « *oï oï oï* » ou par « *ot ot ot* ». L'anglais est une langue si difficile ! Demain, je commence l'adaptation d'*Andromaque*, c'est beaucoup plus facile. Vous reprendrez un thé, docteur ?

— Bien volontiers, vous avez de très beaux verres, chez moi je suis obligé de prendre le thé dans une tasse ; et quand j'aurai fini mon chapitre sur la météo d'aujourd'hui dans la pensée hébraïque d'hier, je vous montrerai que...

— Exactement ! Tolstoï dit : tous les bonheurs se ressemblent, mais chaque infortune a sa physionomie particulière ; vous vous souvenez, le début d'*Anna Karénine* ?...

— Il y a tout dans la Bible. Les rabbins n'ont rien compris ! Un laïc et scientifique comme moi peut seul reconstituer ce qu'il y a à reconstituer. Donnez-moi encore un peu de thé.

— Shakespeare aurait été meilleur s'il avait été russe et juif. Excusez-moi une minute, je crois qu'on m'appelle dans l'officine.

Solotov éliminait vite le client, sauf si son cas relevait du théâtre, et revenait dans la réserve, où Ydnovski, pour ne pas perdre de temps, continuait à dialoguer tout seul.

Rien n'aurait dû troubler cette harmonie.

Jusqu'au jour où Estelle Pourdevrai s'installa dans l'appartement du peintre, au fond de la cour, escalier B, quatrième étage. Le peintre était mort alors qu'il posait des papiers peints dans le dix-septième arrondissement. Estelle était la nièce des gens chez qui il travaillait alors. Avant d'être peintre, il avait été ingénieur yougoslave. Et, avant d'avoir été ingénieur yougoslave, il avait été enfant de Galicie dont les parents avaient quitté la Pologne pour aller s'installer à Belgrade vers 1933. Quand il mourut subitement chez ces gens, ceux-ci s'intéressèrent au cadavre et, en consultant sa concierge, apprirent qu'il ne laissait aucune famille. Elle leur précisa cependant qu'il connaissait le pharmacien avec qui il causait parfois et qu'il avait été soigné par le docteur Ydnovski. Les deux confirmèrent, et s'occupèrent des obsèques. L'appartement du peintre se trouva vide, et le gérant accepta de le louer aux gens du dix-septième arrondissement pour leur nièce étudiante.

C'est ainsi que le destin introduisit cette Estelle.

Si les parents du peintre étaient restés en Pologne comme tout le monde, l'enfant aurait sans doute péri normalement pendant la guerre, les gens du dix-septième arrondissement auraient fait poser leur papier peint par un autre, et leur nièce ne serait pas venue troubler la vie de Solotov. Mais le destin n'est jamais comme on pense. Plus tard, Solotov réfléchit au fait que, si le peintre avait été soigné par un médecin qui pensait moins à la Bible et plus à la pathologie, le malheureux qui était mort d'un arrêt cardiaque n'aurait pas été soigné seulement pour constipation chronique. Il aurait vécu plus vieux peut-être, et il serait mort en posant du papier peint chez des gens qui n'auraient pas eu de nièce. On peut refaire le monde après, ça n'avance pas la marche des choses, et Solotov bien vite ne pensa plus au peintre du quatrième étage qui avait permis à Estelle Pourdevrai d'entrer dans sa vie.

Estelle était étudiante en socio-religio-littéro-divers à la Sorbonne. Elle avait vingt-neuf ans et s'était mis en tête, avant même de venir habiter près de chez Solotov, de préparer une sorte de thèse sur le yiddish et autres choses du même genre qui devenaient à la mode chez les étudiants. Elle n'était pas juive elle-même, mais elle avait tellement lu sur tous ces sujets qu'elle en savait mille fois plus sur le yiddish que Sholem Aleichem lui-même.

Le fait de trouver un appartement rue du Roi-de-Sicile, pas trop loin de la rue des Rosiers, des Écouffes et du métro Saint-Paul, ç'avait été pour elle la même satisfaction qu'un chercheur en énergie atomique qui trouverait un trois-pièces à louer avec douche et w.-c. sur le palier dans une centrale nucléaire, à l'intérieur.

Elle avait commencé par venir à la pharmacie pour remercier Solotov de l'avoir accompagnée chez le gérant. Puis en cliente, puis par hasard au moment où il prenait le thé avec le docteur Ydnovski, puis systématiquement au même moment. De telle sorte qu'un jour de relâche dans sa tête théâtrale Solotov s'était cru obligé de lui demander si elle ne voulait pas un verre de thé. Depuis, elle participait au rite du thé comme si c'était elle qui l'avait inventé, mais elle prenait des notes et intervenait.

Quand Solotov disait à Ydnovski qui n'écoutait pas vraiment :

— Brecht dans une conférence sur le théâtre expérimental...

Elle interrompait :

— Vous voulez parler, monsieur Solotov, de la version revue par Brecht à Helsinki, de sa conférence de Stockholm au Théâtre des Étudiants, en octobre 1940.

Ydnovski ajoutait :

— D'ailleurs, la Bible dit que...

Mais elle reprenait la parole :

— À mon sens, Bertolt Brecht...

Solotov était perdu. Il ne savait plus où il en était ; avec un bas-bleu pareil qui savait tout mieux, il ne pouvait pas s'en tirer avec du vague et cela le perturbait. Estelle, c'était le révélateur d'une photographie qu'on préférait imaginer que voir.

Il avait pensé à Brecht parce qu'il avait lu vaguement un article dans une revue, mais Brecht n'avait aucune importance. De même il n'avait en réalité pas traduit tout *Hamlet*, ni tout *Richard III*, ni même un acte entier. Sa spécialité, c'était de prendre un mot, une phrase et de se faire son théâtre. Qui a besoin de trop en faire pour rêver yiddish ? Et

Estelle, c'était précisément une empêcheuse de rêver en théâtre en rond.

Pour le docteur Ydnovski, c'était pareil. C'était la seule à écouter, en prenant ses notes, mais s'il confiait à Solotov, qui n'écoutait pas plus qu'il ne l'écoutait :

— Il est dit que...

Elle l'interrompait :

— ... Et Pic de La Mirandole dans ses *Conclusiones philosophicae, cabalisticae et theologicae...*

Qu'est-ce que le pauvre Ydnovski en savait ? Estelle le troublait. Pas seulement avec les kabbalistes chrétiens, mais la malheureuse en savait aussi plus que lui sur Rabbi Siméon Bar Yochaï.

Il bégayait d'impatience :

— ... Mes recherches n'ont rien à voir avec la kabbale, je... je... suis anti-kabbale, un laïc, un... un médecin mod... moderne.

Qu'est-ce que vous me... me chantez là ?

Et Solotov, qui n'avait rien entendu, approuvait :

— Il faut que la première scène soit précédée d'une chanson triste en yiddish pour que le public...

Elle avait noirci des blocs entiers de notes et sauf quand Solotov et Ydnovski ne faisaient plus d'effort de politesse, c'est-à-dire ne répondaient plus du tout à ses questions malhabilement précises, leur thé était gâché.

D'ailleurs, Ydnovski ne venait plus aussi régulièrement, et Solotov commençait même à s'intéresser à la pharmacie pour se changer les idées.

À force de poser des questions ou d'apporter des réponses qui les réduisaient à des êtres sans consistance universitaire, elle les aurait fait douter de leurs rêves !

Solotov, qui avait un certain nombre

d'années de célibat, en plus de son goût nouveau pour la pharmacie, aurait été tenté par des propositions érotiques hors théorie. Mais Estelle était toujours si sérieuse avec lui qu'il n'osait pas.

Il avait raison de ne pas oser, car si elle avait de l'affection pour lui et Ydnovski, elle les considérait comme des réservoirs à coutumes, errances, mythes et symboles, mais pas comme des hommes à aimer d'amour. Pour cela elle avait trouvé sur son palier Henri, le fils Efemerbaum qui avait vingt-cinq ans, une belle tête et le statut d'étudiant en médecine et en confection. Dans le stand de ses parents au marché de Saint-Ouen, il préparait les deux diplômes, ce qui ne lui laissait pas beaucoup de temps pour Estelle. Ce peu de temps pour l'amour arrangeait tout le monde d'ailleurs car la mère d'Henri ne voyait pas cette liaison d'un œil favorable. Il faillit surtout, à la fin de l'année, rater son diplôme de confection. La médecine étant plus facile à l'époque, sa mère n'avait pas d'inquiétude à ce sujet. Mais, en rendant trop souvent visite à Estelle, il compromettait ses chances de vendeur.

Dans ces années difficiles, si être médecin était à la portée de tout enfant médiocre, il n'en allait pas de même du diplôme de vendeur à Saint-Ouen où la sélection était sévère, même quand on avait des protections familiales.

Henri racontait à Estelle, la nuit, quand il venait la retrouver en cachette en traversant le palier en chaussettes, comme la vie était difficile au marché. Elle n'osait pas prendre de notes et, nue sous les draps, elle n'avait ni stylo ni bloc, mais dès qu'il s'en retournait chez ses parents, elle se levait pour écrire son journal. En sociologue amoureuse elle couchait sur le papier à la fois ses pensées — peu nombreuses — et les faits sociaux que sa fréquentation du fils Efemerbaum lui permettait de collectionner chez ces gens si différents de ceux du dix-septième arrondissement. Tantôt Henri lui racontait des histoires de maladie au programme à une faculté, tantôt des histoires de clients et de vendeurs au programme de l'autre université. C'était celle de Saint-Ouen qui la passionnait, car dans sa famille de souche porte Champerret-rue de Tocqueville, on avait déjà eu des ancêtres étudiants en médecine. Mais peu ou pas du tout de vendeurs à Saint-Ouen, marché du neuf (à ne pas confondre avec le marché d'occasion des Puces où elle avait déjà été dans son enfance en compagnie de ses parents et qui ne présentait aucun intérêt particulier).

Il en faisait des cauchemars et elle redou-
tait qu'il ne s'endorme après l'amour.
C'était des cris déchirants :

— Pourquoi vous me demandez du 52 si
je n'ai que du 46, je vais rater mon examen
à cause de vous ! Même le 44 peut aller
pour du 52 quand on est un client de bonne
volonté ! Demandez au chef de clinique si
c'est pas vrai ; d'ailleurs une veste 46 pour
une taille 52, c'est meilleur pour la santé...

Et ainsi de suite.

Elle lui avait conseillé de demander au
docteur Ydnovski un tranquillisant avant les
examens ; mais Henri connaissait le goût du
médecin pour le décryptage de la Bible au
détriment de la rigueur professionnelle et il
échappa à d'autres graves ennuis de santé
en s'abstenant de prendre rendez-vous avec
lui. En plus, il n'appréciait pas Solotov, le
pharmacien chez qui Estelle passait trop de

temps avec Ydnovski. Il ne comprenait pas ce que cela pouvait apporter à la jeune fille pour ses études :

— Mais pose-moi, *à moi*, des questions sur le yiddish, sur tout ce que tu veux. Moi aussi, après tout, j'en sais des choses, disait-il, et je peux demander à mon père, à mon oncle, à d'autres. Il n'y a pas que ce Solotov et ce fou d'Ydnovski dans le quartier...

— Tu es sévère avec eux. Ce sont des spécialistes, des gens consciencieux et bons...

— Ce sont des *méshiguéners*. Tu sais ce que c'est un *méshiguéner* ? C'est quelqu'un qui, quand on lui demande l'heure, répond en montrant son zizi, et quand on lui demande de montrer son zizi donne l'heure...

— Ah, ce que tu es bête !

Et leurs discussions n'allaient jamais plus loin.

Les discussions, elle continuait à les avoir avec le pharmacien, quand il voulait bien lui offrir le thé. Et le docteur Ydnovski se résignait, pour passer le temps, à revenir. Même s'il savait qu'Estelle risquait de lui gâcher la journée en lui posant des questions. Il se demandait *comment* elle pouvait savoir à quelle heure il serait là, alors qu'il s'efforçait maintenant de varier les passages. Mais à chaque fois, cinq minutes après, Estelle Pourdevrai faisait son entrée dans l'officine et filait droit vers le fond où Solotov faisait bouillir l'eau. Elle les laissait parler trente secondes, et avec son bloc commençait à prendre des notes et à interroger à tour de rôle Solotov qui rêvait et Ydnovski qui avait pris le parti de devenir sourd quand Estelle s'adressait à lui sur un sujet difficile :

— Vous avez dit tout à l'heure que la valeur numérique de ce mot, multipliée par sept et divisée par trois vous permettait de conclure que l'été de la naissance du pharaon a été très chaud, mais les étés sont toujours chauds en Égypte... Là, Ydnovski regardait ailleurs et disait brusquement :

— Demandez plutôt à M. Solotov qu'il vous parle, il est plus jeune, il sait mieux pour vos cours, vos professeurs, votre thèse. Je ne suis qu'un vieil homme.

Et Estelle se tournait vers Solotov surpris dans ses pensées dramatico-érotiques :

— Ah, mademoiselle Pourdevrai, disait-il en soupirant, vous devriez faire du théâtre avec votre plastique de marbre.

Il se frappait le front :

— Vous me rappelez ma mère dans *Doña Sol* de Victor Hugo...

— Dans *Hernani* ! Doña Sol, c'est dans *Hernani,* monsieur Solotov !

— *Hernani,* c'est le nom de la pièce en

français ; en yiddish, on l'appelle *Doña Sol*, inventait-il péremptoire. Et Estelle notait, plus très sûre d'elle-même.

Elle parlait de tout cela à son analyste, en demoiselle sérieuse et à peine névrosée. Mais quand un jour Estelle l'avait avoué à Solotov au détour d'une tasse de thé, il s'était renfrogné et avait dit :

— Ne touchez pas à cela, malheureuse ! D'ailleurs, ce n'est pas pour vous. Pas pour vous, mademoiselle Estelle. Pas pour vous.

Et il avait soupiré :

— Qu'est-ce qu'aurait été le théâtre si Freud avait été régisseur au *Yiddisher Teater* au lieu d'être médecin !

— Vous voulez dire que..., murmurait-elle de son ton sérieux.

— Parlons d'autre chose, mademoiselle Estelle. Vous prendrez bien une tasse de thé, je vois Ydnovski qui arrive.

Et Solotov relevait la tête vers le vieux médecin en disant de sa belle voix :

— N'est-ce pas, docteur, que le théâtre c'est la bouillotte de la vie !

Les bibliothèques
de monsieur J. K.

Joseph Kulturklig avait repris la petite boutique, le stock, et même la vendeuse. Il n'avait rien changé, juste ajouté sur la porte vitrée à l'entrée : « J. K., beau-père, successeur ».

Il était donc libraire loin des métros Saint-Paul et Bastille. Dans le septième arrondissement. Là où les gens étaient ou nobles ou riches ou professeurs, c'est-à-dire dans un quartier un peu triste pour quelqu'un de normal. Il aurait préféré vendre autre chose que des livres en français ou en anglais, car il ne savait bien lire qu'en yiddish. Mais il avait fabriqué des vêtements chauds que les gens mettaient aux sports d'hiver, sans qu'il n'ait jamais su skier. Pour les livres, c'était pareil, et on ne lui demandait même pas de les fabriquer lui-même.

Son gendre était au bord de la faillite et, plutôt que de l'aider en lui faisant des prêts qui ne seraient jamais remboursés, il lui avait tout simplement racheté son fonds. Le gendre, qui n'avait pas l'esprit d'entreprise, avait trouvé un emploi salarié et était parfaitement heureux de ne plus avoir de soucis de fin de mois. Lui, revivait, maintenant qu'il était sorti d'une retraite pour laquelle il n'était pas prêt.

Kulturklig laissait faire la vendeuse. Mais il ne résistait pas longtemps au plaisir d'intervenir :

— Mademoiselle, je vous aime bien, vous êtes très sympathique pour la librairie, mais permettez que je montre *comment* il faut faire. Vous restez à côté de moi pour me raconter ce qu'il y a *d'écrit* sur les couvertures et c'est moi qui travaille.

Au premier client qui entrait il laissait le temps de se promener et de regarder des nouveautés sur une table. Quand il voyait, comme cela arrivait souvent, que l'autre allait repartir, en disant poliment au revoir, sans rien acheter, il s'approchait en disant :

— Excusez-moi de vous déranger. Je vous pose une petite question : est-ce que vous savez *lire* en français ?

Le client n'osait pas répondre autre chose que oui. Kulturklig poursuivait :

— Alors vous avez de la chance : ici justement on vend beaucoup de livres pour les gens qui savent lire le français. Vous connaissez le yiddish ?

Le client, encore plus inquiet, répondait non.

Lui poursuivait :

— Moi, oui. Parler, oui. Mais écrire j'aurais du mal. Ici, remarquez, on ne vend pas de livres en yiddish, juste en français et en anglais pour ceux qui savent. Je vous dis ça parce que *si* vous savez lire, pourquoi vous prenez pas quelque chose sur la table ?

— Il n'y a rien qui m'attire aujourd'hui, je vais repasser, disait le client gêné.

— Ma femme, elle repasse tous les mardis aussi, après la lessive du lundi.

Le client disait d'un coup pour en finir :

— Je vais prendre cet ouvrage, à la réflexion.

Et il achetait un livre dans la pile.

Kulturklig ne le tenait pas quitte pour autant. Il demandait à la vendeuse :

— Qu'est-ce que c'est que le monsieur prend ?

Elle lisait :

— *Expériences fantasmatiques et expérience du fantasme,* collection « Continuité psychanalytique ».

Il hochait la tête :

— Vous prenez un livre très intéressant. À mon avis. Un beau roman...

Il improvisait :

— C'est l'histoire d'un fantôme qui aime un autre fantôme et qui a de l'expérience. Vous savez ce que c'est un fantôme ? C'est pas comme un *dibbouk* exactement, plutôt, c'est un *dibbouk goï*. Ce fantôme tombe amoureux d'une dame fantôme qui s'appelle un fantasme. Vous comprenez tout ça ?

Le client de plus en plus nerveux approuvait de la tête et cherchait à s'enfuir. La vendeuse était écroulée de rire derrière le comptoir et le vieux Joseph la rappelait à l'ordre tout en lui faisant un clin d'œil :

— Mademoiselle là-bas : il faut pas rire de l'amour des fantômes pour les fantasmes. C'est la vie, c'est la nature. Le monsieur a fait un joli choix avec ce livre. Au revoir, un bonjour chez vous, et revenez quand vous voulez. On a ici les plus beaux romans du quartier et même d'ailleurs.

Le client s'enfuyait après avoir réglé, et Kulturklig disait à la vendeuse :

— Je vous ai fait rigoler, hein ? Vous croyez que je dis la vérité ? Non, je dis des bêtises ! Mais comme ça, le client, lui, se croit intelligent. C'est bon pour lui. Pourquoi il a acheté un livre avec un titre pareil ? Je vous demande ? Parce qu'il a des problèmes ! Qui achète un livre avec psychanalyse s'il a pas de problèmes ! Alors, je dis des bêtises, ça le distrait, il souffre moins.

La vendeuse hochait la tête. Un nouveau client entrait, recherchait un titre précis qu'il ne trouvait pas, et demandait qu'on le lui commande. Kulturklig approchait doucement, posait une question pour savoir si tout allait bien. La vendeuse expliquait le problème et il disait :

— Pas la peine de commander. Choisissez *autre chose* en stock !

Le client le prenait mal :

— Monsieur, dans ces conditions vous n'aurez plus ma pratique.

Le vieux Joseph tapait sur le dos du client en lui disant :

— Vous fâchez pas. Quand vous aurez, vous, ma pratique, vous serez un livre vous-même. Qu'est-ce que je disais ?... Je disais qu'il y a tellement de livres ici avec des choses intelligentes, que vous perdez votre temps à commander un autre livre. La vie est courte : il faut prendre ce qu'on trouve sous la main et pas passer sa vie à attendre ce qu'on n'a pas !

Le client protestait, s'embrouillait, et disait avec quand même un peu de respect, parce qu'il s'adressait à un vieillard :

— Je n'ai guère la patience de recevoir une leçon de morale, monsieur.

— Qui donne des leçons ici ? répondait Kulturklig en faisant l'étonné, si vous croyez pas qu'il faut profiter quand on est jeune de ce qu'on a sous la main, plutôt que de rechercher des choses introuvables, vous êtes libre. Je disais tout ça pour vous faire réfléchir à la vie. Vous connaissez ce poème yiddish en français : « Cueillez votre jeunesse... » ?

— Ce n'est pas un poème yiddish comme

vous dites, c'est de Ronsard : « Cueillez, cueillez votre jeunesse... »

— Exact : Ronsard, le plus grand poète yiddish de sa génération pour avoir écrit une si jolie poésie !

Le client, ne sachant plus que dire et changeant d'humeur, prenait deux livres que la vendeuse mettait soigneusement dans un sac en papier. Kulturklig ajoutait un troisième ouvrage qu'il prenait au hasard derrière lui, en disant :

— Ça, c'est un cadeau de la maison en plus.

Il demandait à la vendeuse :

— Comment s'appelle ce livre que j'ai donné ?

Elle lisait :

— *Cinéma et véracité.*

Kulturklig approuvait :

— Exactement. Vous aurez beaucoup de

plaisir à lire *Cinéma et publicité*. Il y a sûrement des images en plus. Vous avez des enfants ?

— Pas encore, disait malgré lui le client qui ne pensait qu'à partir.

— Dommage, ils auraient aimé un livre avec des images de cinéma. Pourquoi vous avez pas encore d'enfants *à votre âge* ? Vous devez avoir au moins trente ans ?

— Mon épouse a sa carrière et j'ai moi-même à me déplacer fréquemment professionnellement, balbutiait le client avec le sentiment de s'être embarqué là où il ne fallait pas.

— Mon épouse aussi a sa cafetière, répondait avec surprise Kulturklig et je me suis beaucoup déplacé déjà. Mais j'ai deux enfants normaux, plus une fille qui a épousé un *schlémil* que vous connaissez peut-être : c'est l'ancien patron de cette boutique de livres.

— Effectivement, je connaissais votre pré-
décesseur, un homme de grande courtoisie,
répondait le client.

Flatté d'entendre parler en bien de son
gendre, Kulturklig rectifiait :

— Exact, un *schlémil* de grande courtoisie. Bon, maintenant que vous et moi on
se connaît, faites-moi un plaisir : préparez
de temps en temps un petit bébé à madame.
Qu'elle ne passe pas son temps à garder sa
cafetière en attendant que vous rentriez de
voyage ! Soyez gentil avec elle. Vous verrez, vous n'aurez plus besoin d'acheter des
livres à lire. Je dis ça contre mon intérêt :
mais la vie, vous savez, la vie, vous la trou-
verez pas dans les bibliothèques.

Le vendeur, le patron,
le comptable et un duc anglais

Depuis qu'un quotidien avait publié dans le courrier des lecteurs un extrait d'une lettre à lui protestant contre on ne savait plus quoi, on le considérait dans le quartier comme un homme qui écrivait dans les journaux. C'était donc le seul vendeur en confection du quatrième arrondissement à être presque journaliste politique. Et on en était fier.

Des années s'étaient maintenant écoulées sans qu'une des lettres de protestation fût à nouveau sélectionnée, mais tout le monde en parlait encore.

Un exemplaire du quotidien à la bonne page avait été mis sous verre au-dessus du comptoir, vers la vitrine, et quand un client demandait de quoi il s'agissait, le patron disait :

— Ça, c'est l'article de M. Simon, mon vendeur !

— Ah bon ! s'intéressait le client, et sur quoi ?

— Sur la vie..., répondait le patron en se remettant à sa comptabilité.

Simon hochait la tête et continuait à ranger les piles de pantalons par tailles. Il ne détestait pas qu'on parlât de lui. Mais la non-ouverture du Bazar de l'Hôtel-de-Ville le dimanche, le choix des opérettes au Châtelet, le mauvais tissu des uniformes de conducteur d'autobus, tout ce qui en temps ordinaire faisait l'objet de ses courriers aux rédacteurs en chef, ne l'intéressaient plus vraiment. Il avait autre chose en tête. Tout en balayant devant la porte, ou en aidant son patron à faire tomber juste ses additions interminables (le pauvre avait peur du comptable !), Simon mettait au point un système de bonheur universel. Il se proposait un jour d'en publier les grandes lignes dans une plaquette à compte d'auteur, chez l'imprimeur de la rue Ferdinand-Duval. Levant la tête de sa comptabilité, le patron lançait parfois :

— Alors, ça avance, vos idées ?

— Tout est réglé ici, répondait Simon en désignant son crâne. Il reste qu'à...

Il s'interrompait en voyant arriver un client.

Celui qui entrait faisait le tour du rayon vestes, jetait un coup d'œil aux pardessus, finissait par s'intéresser aux pantalons et, le plus souvent, sortait sans rien acheter.

Simon n'accrochait guère les clients, tout occupé à ses projets, et le patron, dont les additions tombaient de moins en moins juste, perdait son temps à réparer des colonnes terrifiantes.

Il fallait dire que le comptable était un homme un peu à part. Après la guerre, il était resté longtemps dans la Légion étrangère. Il buvait, hurlait et on disait même qu'il battait ses clients. À part ça, c'était un bon comptable. Mais quand il arrivait — un jeudi après-midi par mois — avec sa jambe de bois, et qu'il s'asseyait au fond du magasin, sans dire bonjour, on était mal à l'aise. Il prenait les livres et les liasses de factures en ricanant. Puis il tapait un grand coup sur la table pour appeler. Au mieux, il y avait une pièce qui manquait, et le patron, piteux, allait chercher dans son grand tiroir ; au pis, il y avait des coïncidences de chiffres bizarres. La vérité, c'était que le patron ne savait pas compter. Il ne savait pas grand-chose d'ailleurs, et c'était pour cela qu'il avait de l'admiration pour Simon, son vendeur.

La femme du patron, elle, était plutôt pour le comptable. Elle arrivait en fin de journée, le jeudi, et venait le retrouver à la table du fond.

— Alors, comment vont les chiffres ? demandait-elle.

Le comptable levait la tête et répondait en un mot : « Mal ! », avant de replonger dans le fatras qui l'entourait.

Si elle insistait, il disait :

— Votre mari est fait pour être ici comme moi pour être danseuse à l'Opéra !

Et il partait d'un gros rire qui glaçait le patron, à sa caisse.

— Exactement ce que je pense, soupirait sa femme, désespérée.

Telle était la situation : sans issue heureuse prévisible !

Ce fut pourtant à ces gens-là que des choses importantes arrivèrent.

Un après-midi de novembre, le vendeur reçut la visite au magasin d'un duc anglais à qui l'on avait recommandé cette boutique pour y acheter des bretelles françaises.

Allez savoir qui lui en avait parlé ? Peut-être quelqu'un de la famille du rabbin de la synagogue d'à côté, qui avait un cousin à Londres. Mais comment un duc aurait-il pu connaître une famille de Whitechapel ? Ils n'étaient pas du même monde : jamais la famille du rabbin ne se serait intéressée à lui ! Peut-être qu'au fond cet Anglais s'était trompé d'adresse. Quoi qu'il en fût, Simon le reçut très correctement, en l'absence de son patron qui était allé demander des délais de paiement au percepteur, comme tous les trimestres.

Ils parlèrent de choses et d'autres en français.

Le client remarqua le journal encadré au-dessus du comptoir et demanda, avec sa curiosité de touriste, de quoi il s'agissait.

Le vendeur, pour une fois que le patron n'était pas là, répondit en expliquant pourquoi il avait écrit au journal trois ans auparavant. Il en profita pour exposer d'autres problèmes qui lui tenaient à cœur et qui, eux aussi, intéressèrent vivement le duc anglais. Il écrivait lui-même de temps à autre au *Times* pour des réflexions semblables.

Quand le client sut que le vendeur préparait un projet d'ouvrage sur le bonheur universel, il dut prendre une chaise — tout excentrique anglais qu'il fût — pour éviter de s'évanouir de joie. En une heure lui et le vendeur convinrent que l'un était le double de l'autre. Ils en étaient là lorsque le patron rentra, bientôt suivi du comptable dont c'était le jour. Le comptable alla droit à sa table au fond en boitant, et le patron à sa caisse. Le vendeur s'excusa auprès du duc, assis dignement sur sa chaise, puis vint expliquer le tout au patron qui hocha la tête, approbateur.

Ce fut alors que le comptable hurla quelque chose. Surpris, le duc anglais, qui ne l'avait pas vraiment remarqué, leva la tête. Il toussa et, discrètement, demanda à Simon.

— Ce monsieur là-bas ne serait-il pas le sergent d'origine polonaise qui m'a sauvé la vie dans le désert !

Simon s'approcha du comptable et lui demanda à l'oreille s'il avait effectivement sauvé la vie d'un touriste bien élevé qui avait acheté des bretelles. Le comptable regarda, se leva, se frotta les yeux :

— Le colonel anglais ! s'exclama-t-il.

Le client se leva à son tour, et ils se mirent à chanter l'un après l'autre l'hymne de leur régiment.

À ce moment arriva la femme du patron, comme tous les jeudis en fin d'après-midi. Son mari expliqua rapidement que le vendeur avait trouvé son double, et que le comptable avait sauvé la vie du client. Elle ne comprit pas mais, devant l'intensité de la scène, elle fut très émue.

Le duc anglais invita tout le monde dans un bon restaurant et plus tard racheta la boutique qu'il fit reconstruire pierre par pierre dans sa résidence du Yorkshire. Grâce à quoi les patrons remboursèrent toutes leurs dettes et finirent leur vie heureux.

Le comptable fut engagé par le duc comme intendant en chef, et Simon le vendeur devint directeur du musée de la boutique créé à l'occasion, précisément dans le Yorkshire.

Voilà l'histoire. La moralité maintenant, puisque tout le monde a compris qu'il s'agissait d'une parabole.

Simon le vendeur symbolise l'humanité qui cherche et se plaint. Le duc, l'humanité qui cherche et se plaint, mais en anglais et en plus snob. Le comptable, un comptable. Et les patrons de la boutique, l'humanité qui regarde les autres se plaindre et chercher, en attendant que quelque chose arrive qui n'arrive que rarement.

La moralité est donc la suivante : à condition que la partie d'humanité possédant une résidence somptueuse dans le Yorkshire, intéressée par les bretelles françaises vendues dans les magasins de confection du quatrième arrondissement de Paris et dont la vie a été sauvée dans une bataille quelconque par un comptable hystérique de la Légion étrangère, à condition en définitive que cette partie d'humanité le veuille, et qu'en plus ce soit au cours d'un mois de novembre, le sort du monde ne pose guère de problèmes. Autrement, il est parfaitement légitime de continuer à s'inquiéter.

Littérature

Il devait toujours avoir le dernier mot. Si dans la rue on le croisait, c'était lui qui disait vite :

— Bonjour, vous avez mauvaise mine. Au revoir.

Il était content. Vous n'aviez pas le temps de répliquer. Si vous vous arrêtiez et tentiez de dire :

— Vous n'avez pas bonne mine non plus...

Il vous interrompait dans les trois secondes :

— Excusez-moi je suis pressé. Soignez-vous.

Il courait plutôt qu'il ne marchait dans la rue de Turenne, visitant un magasin sur deux. Il venait voir ses clients, noter une commande, prendre acte d'une mauvaise livraison, ou annoncer la maladie d'un grossiste qu'il venait de quitter.

Quand il arrivait au bout de la rue, il avait déjà envoyé pas mal de monde dans un monde meilleur. Il s'arrêtait, et prenait alors le temps d'aller boire un thé au lait dans un petit café où on le connaissait, tout en haut de la rue.

Il s'asseyait avec son thé et ajoutait une demi-ligne ou vingt ratures à un projet de biographie monumentale de Jean-Jacques Rousseau.

Hugo Kopsauer avait renoncé à passer l'agrégation et, plutôt que de devenir professeur dans un collège, avait choisi d'être représentant en doublure comme son père.

Souvent, dans ses tournées, quand il en avait assez de parler de son précédent client, il lançait :

— D'ailleurs, quand j'aurais fini *mon* livre, on verra *qui* je suis !

Il s'attirait en général une réponse un peu inquiète comme :

— Vous faites un livre à votre âge ? C'est un roman ?

Il haussait les épaules :

— *Pas* un roman ! Une sorte de biographie de Rousseau, le grand du XVIIIᵉ.

Invariablement il y avait quelqu'un pour demander, intéressé :

— Dans le dix-huitième ? Si vous parlez du dix-huitième dans votre livre, n'oubliez pas de dire un mot de mon cousin Albert, ou de mon oncle Benny qui tient le restaurant que vous connaissez peut-être.

Ou quelque chose comme ça. Alors, il haussait à nouveau les épaules et partait en disant :

— Vous n'avez vraiment pas bonne mine. Soignez-vous. Je repasserai pour la nouvelle collection.

Il laissait le grossiste inquiet.

Même les gens gentils qui disaient qu'il était fou se posaient des questions quand même.

Quand le père de Kopsauer passait voir son fils dans son petit appartement de célibataire de la rue de Birague, Hugo se plaignait :

— Comment as-tu pu tenir le coup des années avec *tes* clients, ces imbéciles !

Le père se vexait :

— *Ou* on travaille et on aime son métier, *ou* on fait un livre. Est-ce que ton Rousseau avait la responsabilité d'être représentant d'une grande maison de doublure ?

— Mon Rousseau, comme tu dis, écrivait un chef-d'œuvre. *Les Confessions* !

— Et alors, même s'il écrivait un livre sur la confection, est-ce qu'il connaissait la doublure comme toi ou moi ?...

Hugo Kopsauer levait les yeux au plafond, et son père partait rejoindre ses amis pour une partie de rami.

Il se remettait alors alternativement à la mise au net des bons de commande de la semaine et à la rédaction de quelques paragraphes de son ouvrage. Il y travaillait depuis treize ans déjà. À force de corriger et d'améliorer, il lui restait vingt-six feuillets impeccables. Il avait calculé qu'il lui faudrait encore vingt ans de travail. À soixante-huit ans approximativement il pourrait remettre son manuscrit à un éditeur qui aurait, avec *Jean-Jacques Rousseau, sa vie, ses angoisses, raconté par Hugo Kopsauer,* une œuvre dont on reparlerait. Enfin, le premier tome. La suite, il n'aurait pas le temps de l'écrire. Entre ses visites à la clientèle et sa vie quotidienne qui comprenait son père, ses relations, les amis avec qui il n'était pas fâché, il n'avançait pas. Il aurait bien vu un tremblement de terre dévaster Paris, ne laissant en vie qu'un éditeur et lui. Un éditeur en bonne santé qui pourrait attendre encore vingt ans que l'œuvre fût prête.

En bref, Kopsauer était un personnage mal à l'aise en société et il faut dire que ce n'était pas non plus un bon biographe.

Mais il arriva ceci un lundi matin.

Au moment où, comme il en avait l'habitude, il commandait son thé au lait en fin de tournée rue de Turenne, les feuillets de son manuscrit s'envolèrent. La porte du café s'était ouverte d'un coup de vent inattendu dans le troisième arrondissement. En une fraction de seconde les feuillets avec son écriture minuscule avaient franchi les deux mètres le séparant d'une femme brune en imper beige qui les reçut sur son chocolat bouillant.

Kopsauer se précipita. À quarante-huit ans il tomba amoureux de la dame à l'imper. Elle-même l'aima, bien qu'il ne fût pas aimable. Il n'écrivit jamais la biographie de Jean-Jacques Rousseau, se maria et eut un enfant. On lui découvrit alors des qualités.

Avec le temps on le trouva même intelligent. Il finit vice-président d'une amicale de représentants en doublure et eut la satisfaction d'être nommé trésorier de l'association caritative qu'il s'était mis à fréquenter en souvenir de son père mort de joie en apprenant tout ça.

Il faut ajouter que sa femme était d'excellente famille et possédait, à trente-sept ans, un magasin de demi-gros qui ne fit jamais faillite et un abonnement pour le théâtre yiddish quand il y avait du théâtre yiddish, c'est-à-dire rarement.

Ainsi, Hugo Kopsauer acquit le bonheur, la normalité et vraisemblablement la gentillesse... Un désastre.

On le perdit définitivement comme personnage, car la littérature a horreur des fins heureuses ! Mais la vie, à Paris, rue de Turenne, dans le troisième arrondissement, n'avait aucun égard pour la littérature, et c'était sans doute la réalité qui avait tort.

Chemin

Il exerçait la profession d'aide-penseur dans une librairie du boulevard Saint-Michel.

Modestschlosser avait obtenu le poste par hasard. Il avait été d'abord *schammès* dans une petite *schoule*, puis vendeur au Carreau du Temple et enfin caissier chez un marchand de harengs marinés. C'était là qu'il avait connu une vendeuse dont un frère travaillait dans cette librairie. Pendant les vacances, on avait eu besoin d'urgence d'un aide-penseur, le titulaire ayant eu la varicelle. La vendeuse lui avait demandé si ça l'intéressait. Il avait renoncé à partir pour quelques jours à Trouville comme il en avait le projet et c'était comme cela qu'il était entré dans la profession.

Victor Modestschlosser avait été engagé pour une semaine, puis deux. Il avait une belle barbe, et en définitive le patron de la librairie l'avait trouvé sérieux. Il lui avait proposé de le garder, le titulaire s'étant mis, à soixante-trois ans, à attraper toutes les maladies infantiles.

Maintenant — rougeole, oreillons aidant —, c'était Modestschlosser qui était assis au fond de la librairie pour aider les gens à penser.

Calé sur sa chaise d'aide-penseur près du poêle, quand un client venait à lui pour un conseil, il commençait souvent par répondre :

— Je dois vous dire que je ne suis là que pour vous aider à penser, et donc que je n'y connais rien...

— Exactement ce pour quoi je viens à vous, avait dit par exemple un monsieur sérieux avec un chapeau et un grand manteau à Légion d'honneur qui avait poursuivi : Je recherche ce qui me permettrait de lever avec rigueur les contradictions existentielles.

Victor avait regardé bien en face son interlocuteur et dit en hochant la tête :

— Vous voulez mon avis ? Quand j'étais caissier pour les harengs marinés et quand il faisait froid, je mettais sous mon tabouret un petit chauffage : j'avais les pieds au chaud et la tête dans les courants d'air. Vous voyez, il n'y a pas de contradictions existentielles véritables.

Et le client s'en allait sans comprendre, mais heureux. D'autres fois, c'était une étudiante qui lui demandait :

— Comment réussir mes études, je veux

faire médecine et psychologie ?... Et aussi, je voudrais faire un peu de philo.

Modestschlosser souriait et répondait, toujours en se fondant sur sa propre expérience professionnelle :

— Quand j'étais *schammès* — bedeau si vous voulez —, si j'avais deux bougies à allumer, comment je faisais ? Le plus simple, c'était d'allumer d'abord la première, et puis après la deuxième. Mais il m'est arrivé d'allumer les deux ensemble...

L'étudiante le regardait et souriait, en disant :

— Ah ! au moins vous, vous dites des choses ! On comprend !

Le patron se réjouissait. Si Modestschlosser ne faisait pas vendre de livres (il était mauvais vendeur, et il l'était déjà au Carreau du Temple où on le considérait comme le plus grand *schlémil* des troisième et dixième arrondissements réunis), au moins il attirait du monde. C'était important pour l'image de marque de la librairie.

Un jour, en sortant de l'hôtel où il avait été régler les derniers détails d'une location de salle de fête, Bilantroff, le trésorier de l'association des anciens caissiers de magasins spécialisés en harengs marinés, était revenu à pied le long des quais. Il faisait beau, et Bilantroff fit un détour par le boulevard Saint-Michel.

Benjamin Bilantroff était curieux et comptable. Il était d'ailleurs plus curieux que comptable.

Modestschlosser faisait partie depuis quelques années de l'association, et il s'entendait bien avec Bilantroff qui avait été caissier dans la même rue que ses harengs, tout en poursuivant des études de comptabilité.

Ce vendredi midi, on l'avait donc chargé d'aller une dernière fois à la salle voir si tout était en ordre pour la fête annuelle de leur association commune. Mission accomplie, Benjamin Bilantroff vit de loin qu'il n'y avait personne près de Victor Modest-schlosser. Il entra en faisant semblant de regarder les livres. De mètre en mè-tre, il glissa jusqu'au fond et dit à Modestschlosser :

— Est-ce que je dérange ?

— Fais semblant de me parler comme un client. Pose-moi des questions, répondit Modestschlosser.

— Est-ce que la mort... ?

— J'ai dit : fais semblant.

— Puisque je suis là, j'ai envie vraiment de poser des questions. Imagine que je meurs. Est-ce que ça aurait de l'importance pour le reste du monde ?

— Ça aura déjà de l'importance pour les pompes funèbres. Grâce à toi, ils vont faire un bénéfice. Le directeur de la maison, que tes héritiers auront choisi, en recevant le chèque sera heureux. Ça rapporte, un enterrement ! Tu veux que je continue ?

— Vas-y.

— Ensuite, il y aura un concurrent à toi qui n'a pas assez de clients qui sera très content de devenir le comptable des magasins pour lesquels tu travailles. Je continue ?

— Vas-y.

— Ensuite, ta femme sera malheureuse, mais jolie comme elle est, dans un an elle aura trouvé un mari peut-être plus riche que toi, peut-être plus beau, sûrement moins inquiet.

— Ensuite ?

— Ensuite, tes enfants, qui seront des orphelins, devront faire un effort dans la vie pour réussir et ils deviendront des enfants courageux.

— Ensuite ?

— Ensuite, on te regrettera beaucoup dans le quartier, mais dans un mois, plus personne ne se souviendra même plus que tu existais un jour.

— Ensuite ?

— Ensuite, la fête dimanche aura lieu normalement. Le président dira : « C'est dommage que Bilantroff n'ait pas vu ça. »

— Ensuite ?

— Ensuite, j'aurai perdu un ami. Mais j'ai déjà perdu beaucoup d'amis.

— Ensuite ?

— Ensuite, ensuite, est-ce que je sais ?... La vie continuera.

À ce moment, le patron de la librairie s'approcha et dit :

— Excusez-moi de vous déranger, quand vous aurez fini avec monsieur, j'ai une question que nous a laissée par écrit un client tout à l'heure. Il ne voulait pas vous interrompre.

Benjamin Bilantroff fit mine de s'éloigner. Le patron le rattrapa :

— Restez, je vous en prie, vous pouvez questionner notre penseur, il est à votre disposition comme à celle de tous nos clients.

Le patron fit une courbette et rejoignit son bureau en acajou.

Modestschlosser décacheta l'enveloppe avec la question. Il la lut soigneusement, sourit, se lissa la barbe et interpella Bilantroff :

— Tiens, c'est une question qui peut t'intéresser en tant que comptable : « Y a-t-il plusieurs chemins pour aller d'un endroit à un autre ? » Qu'est-ce que tu répondrais si tu étais à ma place ?

— Je répondrai : il y a un chemin logique. D'ailleurs, il est tard, je m'en vais. À dimanche.

Benjamin Bilantroff partit, perturbé par cette visite qu'il regrettait. Il traversa la rue imprudemment ; la voiture venait un peu trop vite, elle ne put l'éviter et il mourut sur le coup.

Dans la boutique, Modestschlosser mit quelques mots de réponse pour le client qui avait laissé la question, déposa la feuille de papier sur le bureau du patron et, sans se presser, ouvrit la porte pour aller voir à l'extérieur pourquoi il y avait du bruit et de l'agitation. Il comprit quand il vit le pauvre Benjamin étendu sur la chaussée.

Il retourna sur ses pas, rentra dans le

magasin, reprit la feuille qu'il avait dépo-
sée sur le bureau du patron, ajouta quelque
chose et une formule de politesse à la
première phrase qu'il avait déjà mise, ce qui
donna :

« Réponse : il y a beaucoup de chemins
pour aller d'un endroit à un autre... Mais
les chemins sont des endroits et les endroits
des chemins... L'important, c'est de vivre
sans trop se poser de questions. Soyez en
bonne santé, un bonjour chez vous. »

Il souligna « vivre » et pensa à autre
chose.

Dernier détour

Dans l'annonce qui avait paru dans le journal *Unzer Wort* et dans *France-Soir*, il avait bien fait préciser par les pompes funèbres : « On se réunira devant l'ancien Hôtel Moderne, place de la République. Un car sera à disposition jusqu'au cimetière de Bagneux. Départ : quatorze heures trente. »

Lui-même aurait pu aller directement à Bagneux, mais puisqu'il y avait un car qui partait de la place de la République, il trouva dommage de ne pas profiter du véhicule. Surtout qu'il y aurait beaucoup d'amis à lui. Enfin, à la réflexion, pas tellement…

Mendel avait connu l'Hôtel Moderne, quand c'était le Ritz du judaïsme parisien. Lui n'aurait jamais eu les moyens d'y passer même une nuit, mais, après guerre, il avait eu un patron de province qui, lorsqu'il venait à Paris, y réunissait ses représentants. C'était là aussi qu'en 1949, ou peut-être était-ce en 1951, il avait passé Kippour dans un salon que l'Association des originaires de D***, son village natal en Pologne, avait loué pour y faire l'office.

Il s'était sûrement passé beaucoup d'autres choses dans le cadre chic de l'Hôtel Moderne, mais, pour le reste, Mendel Roginkes ne se sentait pas concerné.

Et, aujourd'hui, c'était de là qu'on partirait selon l'usage.

Alors qu'il était déjà quatorze heures vingt, le car n'était pas encore arrivé.

Les gens parlaient entre eux, ils se racontaient des histoires, mais lui, là-haut, ne pouvait parler à personne, et ça l'énervait. À un moment, il se dit qu'il aurait mieux fait effectivement d'aller directement à Bagneux. Bien sûr, il avait une consolation : on ne pourrait pas vraiment commencer sans lui. Mais il n'aimait pas faire attendre.

Quand il avait encore sa voiture, dans le temps, il était pourtant souvent arrivé en retard à Bagneux, mais c'était à cause des embouteillages de la porte d'Orléans.

Il avait raté l'enterrement de l'ancien trésorier des originaires de D*** en 1959, par exemple. Dix minutes de retard, et la cérémonie — si on pouvait appeler ça une cérémonie — était finie.

Il était arrivé au moment où tout le monde allait déjà prendre un verre au café, en face de l'entrée principale. On lui avait dit : « Tu n'as rien manqué, à peine si on a dit une prière qu'il était déjà dans le caveau... Les enfants étaient tellement pressés qu'on n'a même pas pu profiter... Une honte ! »

Mais ça, c'était le passé. Mendel Roginkes avait d'autres soucis aujourd'hui !

Tout à coup, il vit enfin arriver le car et les gens monter dedans.

Ça le rassura. La voiture des pompes funèbres avait l'air très bien.

Car c'était une cérémonie de luxe, un enterrement ! Il était d'autant plus content d'avoir tout réglé à l'avance quand il s'était senti malade pour de bon.

D'ailleurs, entre 1940 et 1944, il y avait eu, voyons : Motek et ses enfants, toute la famille de Motélé, Pinié et sa femme, les gosses de Shmouel, et qui encore, qui n'avait pas eu d'enterrement ? Il avait du mal à se rappeler aujourd'hui. Mais, un jour, il avait fait le compte : soixante-douze personnes de sa famille proche n'avaient pas eu d'enterrement.

On ne pouvait pas dire que pompes funèbres, c'était un bon métier dans ce temps-là ! À la campagne, en Pologne, on mettait de la chaux après vous avoir tué. Dans les camps on vous brûlait.

Ceux qui étaient revenus de là-bas avaient vraiment été heureux d'être enterrés comme il fallait, lorsqu'ils avaient été tout à fait morts des suites de tout ça, en 46 ou 47... Après, les survivants qui mouraient, on ne les compta plus vraiment. On n'allait pas passer sa vie à se rappeler les quelques petits ennuis qu'on avait pu avoir.

Aujourd'hui, le car de la maison de pompes funèbres avec qui il avait traité était drôlement bien astiqué en tout cas. D'un beau gris. Noir, ça faisait trop triste. Il avait bien insisté là-dessus. Ils auraient eu des cars bleu ciel, il aurait préféré, mais il fallait prendre ce qu'on vous proposait. C'était déjà assez cher comme ça.

Mendel, qui suivait de là-haut, avait repéré des embouteillages, mais il n'était plus pressé. Puisque le car était en route, qu'il prenne son temps, et n'aille surtout pas causer un accident.

Il écoutait de loin les conversations. Machinalement il compta les gens dans le car. Un, deux, cinq, onze. Ils étaient onze. Il y avait son vieux copain Itsik, Mme Samuel, deux fournisseurs et les deux frères Gittker.

Il regarda tout le monde à nouveau : onze, moins Mme Samuel qui ne comptait pas pour un homme puisque c'était une femme, c'était un peu juste.

Il se rapprocha encore du car qui n'était déjà pas loin de la porte d'Orléans. Un doute le prit : et si les deux personnes qu'il ne connaissait pas n'étaient pas juifs ? Il n'y aurait pas de *myniane*, le quorum de dix indispensable pour certaines prières.

Ça l'inquiéta, mais il se raisonna en se disant qu'il y aurait aussi du monde venu directement, en voiture ou en autobus, au cimetière.

À moins que ce ne soit *que* des femmes, et des vieilles femmes, bien sûr, comme Mme Samuel, on arriverait à avoir un *myniane*.

D'ailleurs, ce jeune *hazan* nouvelle vague — ce *ministre officiant* comme l'avaient appelé sur le contrat les pompes funèbres, qui devaient les dénicher on ne savait où pour leur faire faire la prière à la place de vrais rabbins ! — ne verrait même pas la différence s'il n'y avait pas les dix juifs du quorum.

Il était habillé avec une sorte de toge noire et une calotte de curé, ou de pope, qu'il avait mise dans le car pour faire professionnel.

Roginkes, s'il avait eu encore des yeux à son âme, les aurait levés au ciel : quelle époque, soupira-t-il ! Le *hazan* avait à peine l'âge d'être son petit-fils, s'il avait eu un petit-fils vivant ! Et pourquoi s'habillait-il comme un juge avec une toge noire ? Il ne pouvait pas s'habiller comme tout le monde avec un pardessus et un chapeau ! Et puis, est-ce qu'il savait, au moins, lire les prières ? Il ne connaissait sûrement pas l'hébreu comme il fallait ! C'était peut-être juste de la figuration envoyée par les pompes funèbres ? Allez savoir...

On était arrivé devant l'entrée principale du cimetière, face au café où tant de fois Mendel avait bu un verre à la santé de ses copains morts.

Il n'y avait plus rien à faire maintenant, qu'à laisser suivre leur cours aux événements.

Le car avait déjà franchi la porte, et le garde avait levé la barrière.

On y était.

Mendel ne put s'empêcher de se dire qu'on avait bien roulé : une demi-heure entre la place de la République et Bagneux, c'était un bon conducteur ! Le *hazan* était peut-être faux, mais le chauffeur était valable. L'un dans l'autre, il ne regrettait pas le prix de l'enterrement.

Son esprit survola le convoi, et il apprécia que son corps, lui aussi, fût déjà là. Il était arrivé encore plus vite. Directement de l'hôpital où il était mort. Dans un fourgon du même gris élégant que le car de la République. Rien à dire, l'organisation était parfaite !

Le car suivit le fourgon qui s'engagea lentement dans la grande allée du cimetière en direction du rond-point.

Mendel Roginkes eut alors un léger remords : la prochaine fois, il demanderait que les pompes funèbres lui garantissent sur facture un *myniane*. Pour le reste, tout paraissait bien.

Au moment où le convoi tournait au rond-point pour rejoindre une allée funéraire choisie sur contrat pour la sépulture de son corps, il se mit soudain à sourire : *qui* avait besoin d'une facture, *qui* avait besoin d'une garantie en définitive ? Tout était en ordre, par définition.

Et Mendel Roginkes monta beaucoup plus haut, très haut, pour se dégager des nuages.

Il partit.

Sans plus de détour.

Pique-nique : rendez-vous
au métro Saint-Paul

Le premier dimanche de juillet, l'auteur réunissait ses personnages pour une sortie au bois de Boulogne.

On avait rendez-vous au métro Saint-Paul à dix heures du matin. C'était direct jusqu'à la porte Maillot et, de là, on marchait jusqu'au Bois avec les paniers pour le repas.

Cette année-là, sur les centaines de personnages prévus parmi les vivants, une vingtaine s'étaient déplacés.

En haut, en train de survoler la fin de la rue Saint-Antoine, il y avait les personnages arrivés du cimetière de Bagneux. Eux, ils venaient toujours, pour se changer les idées.

Les autres avaient trouvé l'un un prétexte, l'autre une maladie. Enfin, il n'y avait pas grand monde...

Il manquait les personnages qui en voulaient à l'auteur, et qui se vengeaient en ne venant pas à la petite fête. Ils se plaignaient d'un tirage insuffisant de la nouvelle dans laquelle ils avaient figuré. Ou, tout simplement, ils sous-entendaient que, si l'auteur avait pris la peine d'un peu plus travailler les personnalités, ils auraient eu plus de relief. Mieux, que si on leur avait montré *une fois* comment écrire des nouvelles, ils les auraient écrites *eux-mêmes*.

Vers dix heures cinq, il y avait donc à peu près vingt personnages vivants avec leur famille, qui attendaient sous le soleil que l'auteur veuille bien leur distribuer à chacun

un ticket de métro. Parmi eux, il y avait Rita
Nichbreit et Flora Butterflag. On était heureux de leur présence car elles étaient res-
ponsables du pique-nique. Il y avait bien un
personnage qui avait apporté quelques kilos
de vieilles *matzoth* restant de la dernière
Pâque, mais consommer du pain azyme après
les périodes de fête, c'était irrespectueux.

Donc on comptait sur la nourriture appor-
tée par Flora Butterflag. Moins sur celle de
Rita Nichbreit. Encore que personne n'eût
jamais eu d'indigestion d'un gâteau de Rita
composé d'un quart de jaune d'œuf, d'une
pincée de sel, d'une pincée de farine, d'une
pincée de sucre et de beaucoup d'eau. Ce
n'était même pas mauvais au goût. On man-
geait et si elle demandait : « C'était bon ? »
on disait poliment : « C'était aérien. »

Quand tout le monde eut descendu les
marches de l'escalier du métro Saint-Paul

où il y avait autant de courants d'air que dans un gâteau de Rita Nichbreit, l'auteur prit la tête du cortège.

Le métro arriva, tout le monde s'y engouffra.

Les personnages qui étaient venus du cimetière de Bagneux, eux, prirent directement la rue de Rivoli, la Concorde, les Champs-Élysées, l'Étoile, pour retrouver la porte Maillot en survolant Paris. Sans ticket de métro, en vol groupé.

De la porte Maillot on marcha jusqu'au Bois. Rita, Flora et leurs familles fermaient la marche avec les paniers. Les âmes survolaient, contentes d'accompagner des gens qui ne les avaient pas oubliées.

Il faisait beau. On arriva devant la gare du petit train du Jardin d'Acclimatation. Les âmes bénirent en passant tous ces enfants qui peut-être un jour deviendraient des méchants, mais qui, ce dimanche matin, attendaient le petit train avec candeur, enthousiasme et espoir.

Les personnages cherchèrent un endroit pour étendre une nappe et s'arrêter pour le pique-nique.

Quelqu'un dit :

— Pas la peine d'aller plus loin, on est bien ici. De toute façon, *qui* ça intéresse l'endroit où des personnages vont pique-niquer ?

Quelqu'un ajouta :

— *Qui* ça intéresse même des histoires où on ne trouve pas de grands héros ? Moi, jamais j'achèterai des bêtises pareilles ! Si l'auteur avait écrit des histoires avec des gens dont on est fier, là, ç'aurait été autre chose comme pique-nique ! On aurait des *grands* personnages et pas la famille Butterflag ou la famille...

Flora l'interrompit net :

— Vous voudriez peut-être aussi que l'auteur ait raconté l'histoire des célébrités pour qu'on ait des barons à qui on saurait même pas comment parler à l'aise sur la pelouse, et qui seraient venus au pique-nique avec leurs cuisiniers ? Moi, je suis très bien. J'ai pas besoin de *grands* ! Si vous aimez pas ma cuisine, tant pis pour vous.

— J'ai pas dit ça. Mais, quand même, si on avait avec nous un personnage brillant, genre homme politique, ou chanteur célèbre...

Quelqu'un intervint, vexé :

— Et moi, je suis quand même Prix Nobel !

Tout le monde se récria :

— Des Prix Nobel, on en a des centaines ! Heureusement qu'ils ne sont pas venus au pique-nique. C'est pas ça, des grands personnages ! Vous, vous êtes venu, on ne dit rien contre. Mais vous seriez pas là, ce serait pareil. Des Prix Nobel, c'est banal !

Le personnage haussa les épaules et dit :

— Mais moi, je suis quand même *Prix Nobel de rami !...*

Rita intervint :

— Au lieu de nous disputer, mangeons.

Les âmes se posèrent sur la pelouse. Rita proposa un gâteau à l'une d'elles. L'âme répondit :

— On ne mange pas. On regarde. Ne vous gênez pas, on a du plaisir à vous voir, c'est tout...

En ce dimanche matin de juillet, les personnages étaient contents de se détendre.

Seul l'auteur, debout dans un coin au pied d'un arbre, était mélancolique.

Il pensait déjà à la fin du jour et aux tickets de métro à distribuer aux vivants.

Il pensait aussi aux morts qui allaient regagner leur Bagneux.

Et il se demandait si une bonne partie de ce qu'on appelait la nostalgie, ce n'était pas, au fond, de simples histoires de dimanches de juillet ou de jours au hasard, avec quelques personnages fantasques soumis à l'heure du retour.

NOTA

Les douze nouvelles qui composent ce recueil ont été antérieurement publiées dans les revues ou les journaux suivants :

VISION DE LOIN ENTRE BASTILLE ET RÉPUBLIQUE, *La Nouvelle Revue française,* n° 419, décembre 1987 ;
L'AVENTURE, *Légendes,* n° 2, 1989 ;
MANGER, *Pardès,* n° 13, 1991 ;
VANITÉ, *La Revue des Deux Mondes,* juin 1991 ;
MÉTAMORPHOSE, *Nouvelles Nouvelles,* hiver 1990 ;
LA BOUILLOTTE DE LA VIE, *La Nouvelle Revue française,* n° 402-403, juillet-août 1986 ;
LES BIBLIOTHÈQUES DE MONSIEUR J. K., *L'Arche,* n° 382, mars 1989 ;
LE VENDEUR, LE PATRON, LE COMPTABLE ET UN DUC ANGLAIS, *Lettre internationale,* n° 28, printemps 1991 ;
LITTÉRATURE, *Taille réelle,* n° 15, 1989 ;
CHEMIN, *Humoresques,* octobre 1990 ;
DERNIER DÉTOUR, *Tribune juive,* n° 907, 14-20 février 1986.
PIQUE-NIQUE : RENDEZ-VOUS AU MÉTRO SAINT-PAUL, *Légendes,* 1992.

Quelques légères modifications ont pu être apportées depuis la première parution. En définitive, très peu. Le lecteur excusera par avance erreurs et coquilles. D'ailleurs, les histoires ici rassemblées ne sont que des histoires, et rien en ce monde n'est parfait. — *C. F.*